mój pierwszy SŁOWNIK

ANGIELSKO - POLSKI

BUCHMANN 2004

FOOD
JEDZENIE

bread
chleb

bun
bułka

butter
masło

jam
dżem

honey
miód

cottage cheese
ser biały

yellow cheese
ser żółty

sausage
kiełbasa

milk
mleko

egg
jajko

cookies
ciastka

cake
ciasto

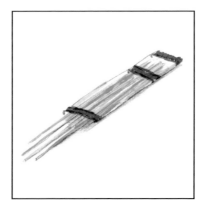

pasta
makaron

tea
herbata

cream
śmietana

salt
sól

pepper
pieprz

ketchup
keczup

sugar
cukier

juice
sok

KITCHEN
KUCHNIA

stove
kuchenka

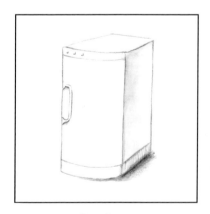

fridge
lodówka

pot
garnek

kettle
czajnik

glass
szklanka

cup
filiżanka

saucer
spodek

mug
kubek

plate
talerz

bowl
miska

knife
nóż

fork
widelec

spoon
łyżka

frying-pan
patelnia

jug
dzbanek

sink
zlewozmywak

sieve
sitko

broom
szczotka do zamiatania

dustpan
szufelka

dustbin
kosz na śmieci

SUMMER-AUTUMN
LATO-JESIEŃ

deckchair
leżak

storm
burza

sailboat
żaglówka

swimming
pływanie

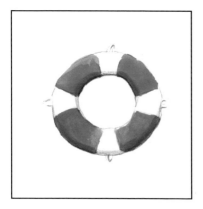

lifebuoy
koło ratunkowe

sand castle
zamek z piasku

shell
muszelka

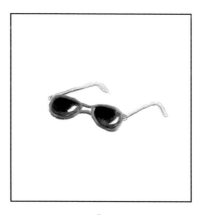

sunglasses
okulary słoneczne

bikini
strój kąpielowy

fins
płetwy

rain
deszcz

cloud
chmura

umbrella
parasolka

leaves
liście

chestnut
kasztan

rowan
jarzębina

acorn
żołędź

chestnut man
ludzik z kasztanów

mushroom
grzyb

squirrel
wiewiórka

BATHROOM
ŁAZIENKA

bathtub
wanna

washbasin
umywalka

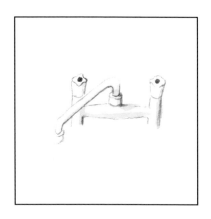

tap
kran

soap
mydło

sponge
gąbka

toothbrush
szczotka do zębów

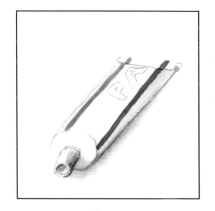

toothpaste
pasta do zębów

shampoo
szampon

shower
prysznic

washing machine
pralka

towel
ręcznik

bathrobe
szlafrok

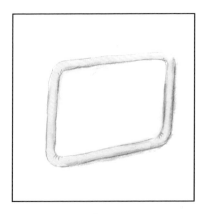

mirror
lustro

comb
grzebień

hairbrush
szczotka do włosów

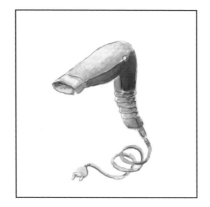

hairdryer
suszarka

washbowl
miednica

bath toy
zabawka do kąpieli

toilet bowl
muszla klozetowa

toilet paper
papier toaletowy

GARDEN
OGRÓD

rake
grabie

shovel
łopata

wheelbarrow
taczka

lawnmower
kosiarka do trawy

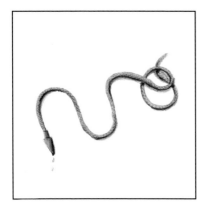

hose
wąż do podlewania

hoe
motyka

ladybird
biedronka

snail
ślimak

kennel
buda dla psa

seeds
nasiona

tree
drzewo

bush
krzak

caterpillar
gąsienica

butterfly
motyl

flowerpot
doniczka

bench
ławka

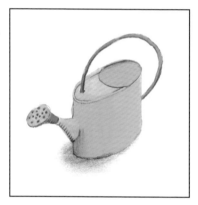

watering can
konewka

bucket
wiadro

swing
huśtawka

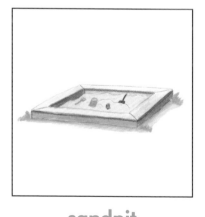

sandpit
piaskownica

FRUITS
OWOCE

apple
jabłko

pear
gruszka

lemon
cytryna

orange
pomarańcza

banana
banan

strawberry
truskawka

wild cherry
wiśnia

plum
śliwka

grapes
winogrona

raspberry
malina

water melon
arbuz

kiwi
kiwi

redcurrent
czerwona porzeczka

blackcurrent
czarna porzeczka

grapefruit
grejpfrut

peach
brzoskwinia

cherry
czereśnia

blueberry
czarna jagoda

pineapple
ananas

tangerine
mandarynka

ROOM
POKÓJ

window
okno

door
drzwi

bed
łóżko

wardrobe
szafa

table
stół

chair
krzesło

lamp
lampa

desk
biurko

carpet
dywan

armchair
fotel

TV set
telewizor

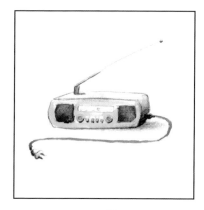

radio
radio

telephone
telefon

picture
obrazek

alarm clock
budzik

stool
taboret

bookcase
regał

chest of drawers
komoda

pillow
poduszka

blanket
koc

FAMILY
RODZINA

family
rodzina

mother and son
matka i syn

father and daughter
ojciec i córka

husband and wife
mąż i żona

grandmother and granddaughter
babcia i wnuczka

grandfather and grandson
dziadek i wnuczek

brother and sister
brat i siostra

SCHOOL
SZKOŁA

ballpen
długopis

copy-book
zeszyt

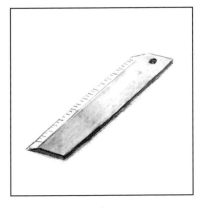

ruler
linijka

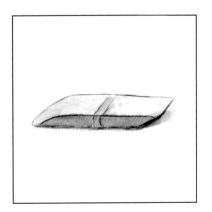

rubber
gumka

pencil
ołówek

crayons
kredki

paints
farby

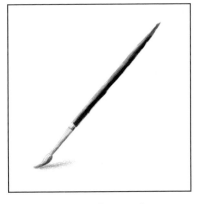

paintbrush
pędzelek

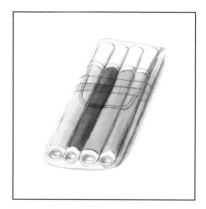

magic markers
flamastry

scissors
nożyczki

book
książka

rucksack
tornister

blackboard
tablica

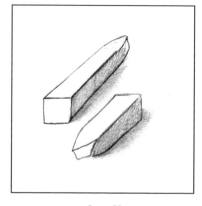

chalk
kreda

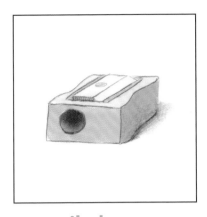

pencil-sharpener
temperówka

glue
klej

coloured paper
papier kolorowy

play-dough
plastelina

pencil case
piórnik

drawing
rysunek

TRANSPORT
TRANSPORT

car
samochód

bicycle
rower

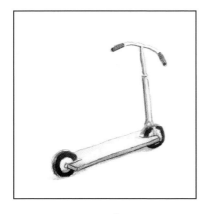

scooter
hulajnoga

balloon
balon

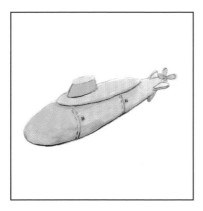

submarine
łódź podwodna

bus
autobus

chopper
helikopter

airplane
samolot

ship
statek

tram
tramwaj

tractor
traktor

ambulance
karetka pogotowia

train
pociąg

truck
ciężarówka

motorbike
motocykl

fire engine
wóz strażacki

police car
wóz policyjny

digger
koparka

cab
taksówka

carriage
dorożka

CLOTHES
UBRANIA

T-shirt
koszulka

trousers
spodnie

dress
sukienka

skirt
spódnica

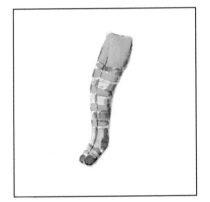

tights
rajstopy

underpants
majtki

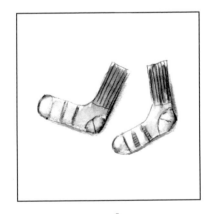

socks
skarpetki

jumper
sweter

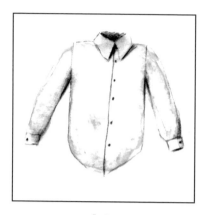

shirt
koszula

gloves
rękawiczki

scarf
szalik

cap
czapka

hat
kapelusz

shoes
buty

sandals
sandały

flip-flops
klapki

coat
płaszcz

jacket
kurtka

sweatshirt
bluza

pyjamas
pidżama

VEGETABLES
WARZYWA

carrot
marchewka

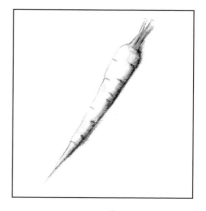

parsley
pietruszka

celery
seler

leek
por

potato
ziemniak

onion
cebula

string beans
fasolka szparagowa

lettuce
sałata

cauliflower
kalafior

beet
burak

red pepper
papryka

tomato
pomidor

cucumber
ogórek

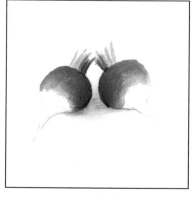

radish
rzodkiewka

broccoli
brokuły

green peas
zielony groszek

champignon
pieczarka

garlic
czosnek

cabbage
kapusta

corn
kukurydza

TOYS
ZABAWKI

doll
lalka

teddy-bear
miś

blocks
klocki

trumpet
trąbka

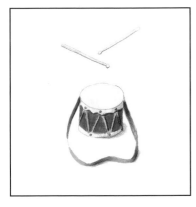

drum
bębenek

fan
wiatraczek

marionette
marionetka

whistle
gwizdek

puppet
pajacyk

cymbals
cymbałki

racket
rakieta

ball
piłka

puzzle
układanka

piggybank
świnka skarbonka

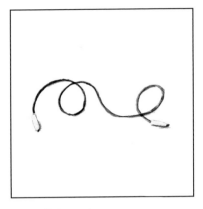

skipping rope
skakanka

robot
robot

playing cards
karty do gry

toy car
samochodzik

hula-hoop
hula hop

roller-skates
wrotki

WINTER-SPRING
ZIMA-WIOSNA

snow
śnieg

snow flakes
płatki śniegu

snowman
bałwan

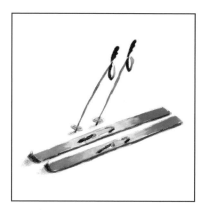

skis
narty

sledge
sanki

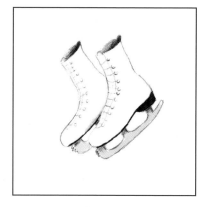

skates
łyżwy

snowboard
deska snowboardowa

ice rink
lodowisko

icicle
sopel lodu

hockey stick / puck
kij do hokeja / krążek

stork
bocian

frog
żaba

catkins
bazie

sparrow
jaskółka

sun
słońce

crocus
krokus

kite
latawiec

grass
trawa

nest
gniazdo

rainbow
tęcza

LIVESTOCK
ZWIERZĘTA DOMOWE

cow
krowa

bull
byk

calf
cielak

horse
koń

hen
kura

pig
świnia

sheep
owca

ram
baran

lamb
jagnię

chicken
kurczę

piglet
prosię

duck
kaczka

goose
gęś

turkey
indyk

rooster
kogut

goat
koza

donkey
osioł

dog
pies

rabbit
królik

cat
kot

WILD ANIMALS
ZWIERZĘTA DZIKIE

elephant
słoń

giraffe
żyrafa

lion
lew

monkey
małpa

snake
wąż

fish
ryba

fox
lis

parrot
papuga

turtle
żółw

crocodile
krokodyl

zebra
zebra

dolphin
delfin

hare
zając

bear
niedźwiedź

boar
dzik

deer
jeleń

tiger
tygrys

camel
wielbłąd

hippo
hipopotam

kangaroo
kangur

ilustracje: Agnieszka Cieślikowska
tekst: Agata Jaremczuk
skład: KONTRAPUNKT
Copyright by BUCHMANN Sp. z o.o. Warszawa 2004
Printed in Poland by OZGraf S.A.

ISBN 83-915553-9-9